Catalogage avant publication de Bibliothèque et Archives nationales du Québec et Bibliothèque et Archives Canada

Demers, Tristan, 1972-
Les Minimaniacs
Bandes dessinées.   Sommaire : 2. Plein la couche!.   Pour enfants de 6 ans et plus.   ISBN 978-2-89714-157-8 (vol. 2)
I. Demers, Tristan, 1972-   .   Plein la couche!.   II. Titre.

PN6734.M562D45 2015   j741.5'971   C2015-941324-9

Conception : Les Créations Tristan Demers
Texte et dessins : Tristan Demers
Encrage et couleurs : Fabien Rypert

Décors : Jocelyn Jalette
Idées de gags : Gaël Corboz
Collaboration : André G. Gagnon
Mise en page : Bruno Ricca

Financé par le gouvernement du Canada
Funded by the Government of Canada | Canadä

Nous remercions le Conseil des arts du Canada de l'aide accordée à notre programme de publication.
Les Éditions de la Bagnole bénéficient du soutien financier de la Société de développement des entreprises
culturelles du Québec (SODEC) pour son programme d'édition.
Gouvernement du Québec – Programme de crédit d'impôt pour l'édition de livres – Gestion SODEC.
Dépôt légal : 2e trimestre 2016
Bibliothèque et Archives nationales du Québec
Bibliothèque et Archives Canada
© Les Éditions de la Bagnole, 2015
Tous droits réservés pour tous pays
Isbn : 978-2-89714-157-8

GROUPE VILLE-MARIE LITTÉRATURE
Vice-président à l'édition
Martin Balthazar

Groupe Ville-Marie Littérature inc.
Une société de Québecor Média
1055, boulevard René-Lévesque Est,
bureau 300
Montréal (Québec) H2L 4S5

Tél. : 514 523-7993
Téléc. : 514 282-7530
info@leseditionsdelabagnole.com
leseditionsdelabagnole.com

Imprimé en Chine

DISTRIBUTION EN AMÉRIQUE DU NORD
Canada et États-Unis :
Messageries ADP inc.*
2315, rue de la Province
Longueuil (Québec) J4G 1G4
Pour les commandes : 450 640-1237
messageries-adp.com
*Filiale du Groupe Sogides inc. ;
filiale de Québecor Média inc.

DISTRIBUTION EN EUROPE
France :
INTERFORUM EDITIS
Immeuble Paryseine
3, Allée de la Seine
94854 Ivry-sur-Seine Cedex
Pour les commandes : 02.38.32.71.00
interforum.fr

Belgique :
INTERFORUM BENELUX SA
Fond Jean-Pâques, 6
1348 Louvain-La-Neuve
Pour les commandes : 010.420.310
interforum.be

Suisse :
INTERFORUM SUISSE
Route A.-Piller, 33 A
CP 1574
1701 Fribourg
Pour les commandes : 026.467.54.66
interforumsuisse.ch

Tristan Demers

Les Mini maniacs

Plein la couche

Une société de Québecor Média
leseditionsdelabagnole.com

Où sont passés mes blocs et mes bâtons de hockey?

C'est toujours la même chose, on me pique mes jouets!

Cette garderie a un problème d'organisation, je sais ce qu'il me reste à faire.

Une zone de protection avec du barbelé, est-ce nécessaire?

Au moins, il sera tranquille.

ARRÊT

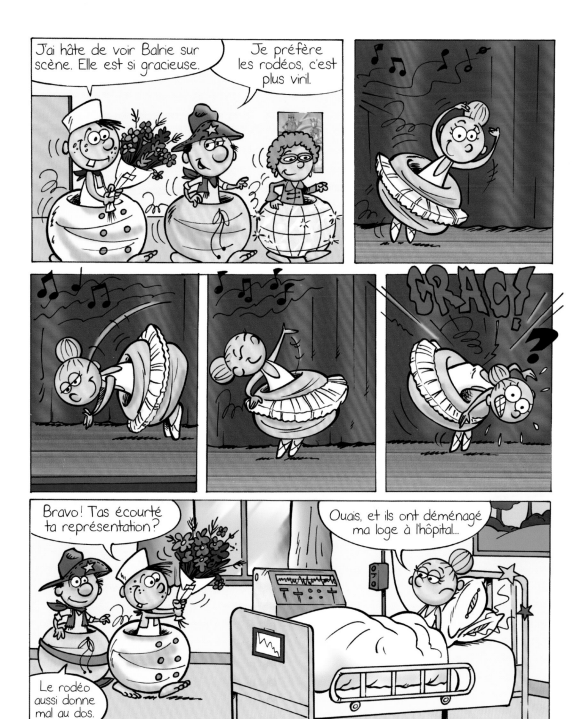

9

HA! HA! Je t'ai bien eu, cowboy! Whaa!

POUIIIT!

Tirer du lait maternisé, c'est tellement dépassé.

Bof, ce n'est qu'un film.

10

GARDERIE MINI CLUB

Nom: Barbott

Aptitude(s): Excellent pêcheur

Qualité principale: Très patient

Pire défaut: Mord à l'hameçon

Activité favorite: Tresse
des filets

Mets préféré: Goberge

Allergie(s): Cœurs de palmier

Meilleur(e) ami(e): Corso

GARDERIE MINI CLUB

Nom: Corso

Aptitude(s): Navigue...
dans la baignoire

Qualité principale: Ordonné

Pire défaut: Perd souvent
la carte

Activité favorite: Déterre
des jouets

Mets préféré: Requin

Allergie(s): Ananas

Meilleur(e) ami(e): Barbott

12

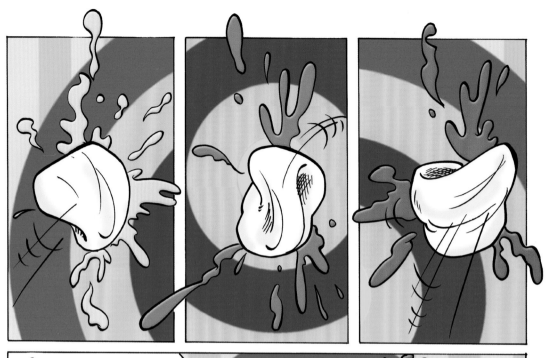

Ce que vous pouvez
être immatures!
Personne n'a gagné,
vous êtes deguéu!

16

GARDERIE MINI CLUB

Nom: Clinik

Aptitude(s): Joue au docteur

Qualité principale: Sauve des vies

Pire défaut: Prend le pouls de tout!

Activité favorite: Corde à danser

Mets préféré: Sirop

Allergie(s): Bouffe d'hôpital

Meilleur(e) ami(e): Loupette

GARDERIE MINI CLUB

Nom: Ding Dong

Aptitude(s): Champion de la livraison

Qualité principale: Toujours ponctuel

Pire défaut: S'enfarge partout

Activité favorite: Natation

Mets préféré: Pizza

Allergie(s): Gluten

Meilleur(e) ami(e): Presti

Ce qu'on est bien dans notre nouvelle piscine !

Hé ! C'est quoi cette cochonnerie au fond de l'eau ?

Une méduse ?? J'en suis médusé !

C'est moi, j'ai perdu ma couche en plongeant.

23

GARDERIE MINI CLUB

Nom: Kao

Aptitude(s): Champion de boxe

Qualité principale: Persévérance

Pire défaut: Se bat en dehors du ring

Activité favorite: Brode de la dentelle

Mets préféré: Œufs crus

Allergie(s): Barres tendres

Meilleur(e) ami(e): Marto

GARDERIE MINI CLUB

Nom: Loupette

Aptitude(s): Démarre des enquêtes

Qualité principale: Trouve des solutions

Pire défaut: Crée des problèmes

Activité favorite: Observe les insectes

Mets préféré: Croissants

Allergie(s): Tofu

Meilleur(e) ami(e): Clinik

OUAIIIIIS! Ça c'est un bon coup, c'est une victoire!

Pourquoi sautes-tu de joie en regardant dans ta couche?

Le match de hockey! Je place l'iPod dans ma couche pour avoir les mains libres.

Quel match époustouflant!

30

Au lieu de perdre ton temps à sauver une princesse, aide donc la vraie à ramasser tes jouets, pour une fois!

GARDERIE MINI CLUB

Nom: Marto

Aptitude(s): Le meilleur du carré de sable

Qualité principale: Très imaginatif

Pire défaut: Prétentieux

Activité favorite: Taper sur les nerfs

Mets préféré: Saucisses et jujubes

Allergie(s): Barbe à papa

Meilleur(e) ami(e): Rocky

GARDERIE MINI CLUB

Nom: Presti

Aptitude(s): Magicien à ses heures

Qualité principale: Généreux

Pire défaut: Veut beaucoup d'attention

Activité favorite: Les jeux de cartes

Mets préféré: Tofu

Allergie(s): Poils de lapin

Meilleur(e) ami(e): Ding Dong

33

GARDERIE MINI CLUB

Nom: Rocky

Aptitude(s): Joue de la batterie

Qualité principale: Volontaire

Pire défaut: Joue de la batterie sur ses amis

Activité favorite: La musique

Mets préféré: Steak

Allergies(s): Serpents

Meilleur(e) ami(e): Marto

GARDERIE MINI CLUB

Nom: Siria

Aptitude(s): Chante comme une sirène

Qualité principale: Calme

Pire défaut: Nage comme une roche!

Activité favorite: Collectionne les fourchettes

Mets préféré: Sushis

Allergies(s): Ail

Meilleur(e) ami(e): Caprie

Dis moi,
Caprie...

HAAA
AAA!
Au
secours!!!!

J'ai voulu utiliser ce papier de toilette pour la première fois mais je me suis un peu empêtré. Tu peux m'aider?

Ne me fais plus jamais peur comme ça et débrouille-toi avec ton hygiène!